LE PARDON

OASIS

I5

channelé par
JRobert

BERGER
POCHE

Pour l'ensemble de nos activités d'édition, nous reconnaissons avoir reçu l'aide financière du gouvernement du Canada par l'entremise du Programme d'Aide au Développement de l'Industrie de l'Édition (PADIÉ) et de la Société de Développement des Entreprises Culturelles du Québec (SODEC) dans le cadre du Programme d'aide aux entreprises du livre et à l'édition spécialisée.

15-Le pardon

© JRobert 2000
Tous droits réservés (http://www.site-oasis.net)

© **Éditions Berger A.C. (format de poche)**
C.P. 48727, CSP Outremont
Montréal (Québec) Canada H2V 4T3
Téléphone : (514) 276-8855 Télécopie : (514) 276-1618
editeur@editionsberger.qc.ca • http://www.editionsberger.qc.ca

Dépôts légaux : 4e trimestre 2001
Bibliothèque nationale du Québec et du Canada
Bibliothèque nationale de Paris
Ministère de l'intérieur de France

ISBN 2-921416-38-7

Canada : **Flammarion**-Socadis, 350, boul. Lebeau,
Saint-Laurent (Québec) Canada H4N 1W6
Téléphone : 514-331-3300; télécopie : 514-745-3282

France, Belgique : D.G. Diffusion Livres
Rue Max Planck, C.P. 734, 31683 Labège Cedex France
Téléphone : 05-61-62-70-62; télécopie : 05-61-62-95-53

Suisse : Servidis SA, 5 rue des Chaudronniers, Case
postale 3663 CH-1211 Genève 3 Suisse
Téléphone : (022) 960 95 25; télécopie : (022) 776 35 27

Imprimé au Canada
1 2 3 4 5 IT 2005 2004 2003 2002 2001

À propos d'Oasis

*O*asis est le nom collectif donné aux quatre Cellules qui parlent à travers JRobert. Ces quatre unités d'énergie sont les porte-parole de milliards d'autres qui forment, contrôlent et édictent les lois qui régissent l'Univers. Elles se désignent elles-mêmes du terme Cellule pour faire comprendre que leur rôle et leur fonctionnement dans l'Univers est à l'image des cellules du corps humain, et pour nous rendre conscients que l'univers extérieur est comme notre univers intérieur.

L'origine du nom

*D*ans leur dimension, les Cellules ne portent pas de nom. Aussi ont-elles proposé au premier groupe à paraître devant elles de leur choisir un nom correspondant à l'état d'être qu'il ressentait en leur présence. C'est ainsi que le nom Oasis fut choisi. JRobert en fit une illustration qui devint l'emblème de ses activités et de la collection de livres.

L'emblème

L'emblème d'Oasis joue un rôle important. À travers lui, il est possible de contacter les Cellules :

> « Nous vous avons dit de demander lorsque vous aurez besoin de nous. Nous vous avons même dit comment vous y prendre. Si vous ne pouvez percevoir nos énergies, vous n'avez qu'à imaginer l'emblème et vous aurez perception de nous. Nous

comprenons l'association et nous entendrons. Oh, direz-vous, vous êtes quatre : qu'arrivera-t-il s'il y avait 200 personnes qui visualisaient simultanément votre emblème ? Ne vous en faites surtout pas pour cela car, en fait, nous ne faisons qu'un, donc vous aurez tout de même ce que vous aurez demandé. Faites l'essai, vous verrez... » – Oasis (*août 1990*)

La mission

« Vous dérangez ». Ces simples mots résument pourquoi les Cellules ont choisi d'intervenir sur notre planète. Nous dérangeons les autres mondes auxquels nous sommes interreliés, que nous en soyons conscients ou non.

Leur espoir, c'est que nous acceptions de changer individuellement pour que notre profond goût de vivre rayonne et se propage autour de nous. Leur espoir, c'est aussi que nous soyons toujours plus nombreux à réussir la fusion de notre Âme et de notre forme afin de rétablir l'équilibre de notre planète et de l'Univers.

Par leurs paroles et par leur présence à travers l'emblème, les Cellules nous apportent un véritable soutien afin que nous apprenions à renaître et à donner du sens à nos vies.

Le channel

J Robert est le pseudonyme du channel à travers qui, depuis 1981, parlent les quatre Cellules surnommées Oasis. Les messages reçus durant les transes sont publiés dans les *Entretiens avec*

Oasis. La collection Oasis, c'est donc d'abord cette œuvre encore en devenir, mais c'est aussi l'ensemble des travaux du channel à l'état d'éveil.

Médium malgré lui

Robert est né le 25 juillet 1950 dans une famille catholique de Montréal, au Québec. Rien dans sa vie ne semblait le destiner à la tâche qu'il accomplit auprès d'Oasis depuis septembre 1981. Comme il se plaît à le raconter aux gens qui le rencontrent pour la première fois, lorsqu'il était enfant, il aimait jouer des tours et on avait bien du mal à le punir parce qu'il riait tout le temps. Sauf pour l'habitude qu'il avait de réciter répétitivement son chapelet et qu'il assimile maintenant à des exercices de concentration, rien ne le préparait spécifiquement à être channeler. À l'école, il obtenait tout juste les notes de passage et il ne s'en souciait pas vraiment. Il a travaillé pendant trois ans dans l'entreprise familiale, pour ensuite devenir tour à tour policier [gendarme], programmeur-analyste et chef d'entreprise.

Les premières manifestations de médiumnité dont il a été l'objet ont été fortuites. Ce sont les gens présents qui l'ont informé de ce qui venait d'arriver. Il refusa catégoriquement le phénomène pendant près de deux ans. Au prix de vomissements et de maux de tête récurrents, il a tout tenté pour faire cesser ces manifestations : hypnose, acupuncture, médication. Puis graduellement, on lui amena des gens en difficulté, qui cherchaient désespérément des réponses à leurs souffrances et à leurs interrogations, et il accepta de les aider. Pendant quelques années, il cumula donc les transes privées et son travail, qui consistait à monter des commerces clés en main. Cette situation s'avéra extrêmement exigeante sur le plan physique et il dut souvent se raccrocher à la phrase que sa mère lui répétait tout au long de son enfance : « Si tu fais du bien à une personne au moins une fois dans ta vie, ta vie n'aura pas été inutile ». Enfin, épuisé, il choisit en 1989 de se consacrer exclusivement au travail de channeling et d'organiser des sessions de groupes où les questions seraient d'intérêt collectif.

Simplicité et liberté

Une grande liberté marque tous les aspects de l'intervention d'Oasis. Il n'y a ni publicité pour les activités, ni cotisation, ni carte de membre, ni obligation, ni suivi de ceux qui choisissent de se retirer. Jamais JRobert n'a toléré qu'on promouvoie le culte de sa personne. Au contraire, il se refuse à jouer un rôle ; le seul terme « gourou » le fait frémir. Peu à peu, il paraît évident que cette simplicité est elle-même garante non seulement de l'absence d'emprise du médium sur les gens mais aussi de la qualité de la transmission, donc des messages :

> « Nous dédions ce livre à une forme [JRobert] qui, au delà des apparences et des critiques, a su rester elle-même. Elle a su rester plus enfant que la réalité, ce qui lui aura permis de vivre des expériences bien au delà de ce qui était permis dans le passé. Nous la remercions aussi pour cette sincérité qu'elle a eue de ne pas jouer de rôle et de rester elle-même.

Encore une fois, l'authenticité de nos propos n'aurait certainement pas été aussi possible si nous n'avions pas eu cette forme ». – Oasis (*tome III*)

L'entourage de JRobert partage la même simplicité et le même respect de la liberté individuelle. Jamais Françoise, la personne de confiance qui l'accompagne durant les transes depuis les tout débuts, n'oblige qui que ce soit à participer à quoi que ce soit. Jamais Maryvonne et Eugène, un couple de Bretons venus vivre au Québec dans les années 1950, n'ont réclamé quoi que ce soit pour leur soutien indéfectible et bénévole. Partout, toujours, des gens qui participent de leur plein gré et que l'on encourage à cheminer selon leur rythme et leur compréhension.

Les activités

Bien que JRobert ait commencé par mettre au service d'individus et de groupes sa capacité à transmettre les messages des Cellules, son travail ne se limite pas à dormir pendant qu'Oasis répond aux questions, même s'il se plaît à comparer son travail à celui d'un conducteur de taxi.

Pendant près de vingt ans, il est incapable d'écouter les enregistrements des sessions ni même d'en lire les transcriptions. Pourtant, il ne cesse d'approfondir par lui-même ses compréhensions et de développer de nouvelles manières de nous faire comprendre notre seule vraie raison de vivre : notre continuité dans le monde parallèle après la vie physique. Ses recherches personnelles ont donné lieu à une série d'ateliers, de conférences et de week-ends de formation destinés à nous donner le goût de cette continuité et les moyens de la réaliser.

La démarche complète avec Oasis comprend quatre parcours successifs :

- trois sessions suivies d'un week-end,
- trois ateliers intitulés « Pas de plus »,
- un week-end dit des anciens,
- un voyage de groupe en France.

Il n'est pas obligatoire de terminer un parcours, sauf si l'on désire entreprendre le suivant.

Les sessions

Les sessions sont des transes pendant lesquelles les gens peuvent poser à Oasis toutes les questions qu'ils désirent, à condition qu'elles soient d'intérêt collectif et non de nature personnelle. Entre les sessions, on fait parvenir aux participants une transcription grâce à laquelle ils peuvent approfondir les messages reçus et préparer leurs questions pour la session suivante. Le week-end qui couronne les sessions est conçu pour que chacun puisse prendre contact avec la réalité de son Âme et la percevoir.

Comme aucune publicité n'est faite pour les activités de JRobert, quelles qu'elles soient, les gens s'inscrivent aux sessions après avoir entendu parler d'Oasis par quelqu'un de leur entourage ou après avoir lu les livres et contacté la maison d'édition.

Les sessions sont précédées d'une rencontre où JRobert parle de son itinéraire personnel, de lui-même et de son travail de channeling. Élisabeth, une femme d'une grande expérience en milieu scolaire et membre de l'équipe d'Oasis, anime ensuite la soirée de manière à ce qu'au terme de cette première rencontre, le groupe se donne un nom représentatif de sa recherche intérieure ou de sa personnalité.

Les ateliers

Les ateliers animés par JRobert comprennent des explications, des démonstrations et des exercices pour apprendre à se prendre en main, à se protéger des influences extérieures, à se reconnaître et à se reprogrammer. Résultat de recherches nombreuses, les ateliers sont fondés sur des connaissances relevant de la psychologie, de la neurolinguistique et de l'électromagnétisme; ils incluent aussi des exercices de reprogrammation créés par JRobert. L'ensemble des ateliers forme une interprétation éclairante de la réalité humaine et une méthode de transformation originale basée sur la consultation de soi.

Les week-ends des anciens

Il est bien difficile de décrire les week-ends des anciens, dont le premier a eu lieu en mai 1994. Les approches inédites de JRobert, les perceptions développées, les ressentis qui y sont vécus et partagés sont aussi peu traduisibles que ne le sont les couleurs à un aveugle. Qu'il suffise de dire qu'ils conduisent à la perception et à l'utilisation de notre champ énergétique personnel dans ses liens avec les univers parallèles.

Les voyages de groupe

En 1993, guidé par Oasis, JRobert se sent de plus en plus attiré par la France. En Europe, la relation avec la mort est différente de celle qui est vécue en Amérique. En Amérique, l'oubli sert à exorciser le deuil, alors que les Européens entretiennent les sites funéraires de leurs proches et leur rendent régulièrement visite. Il est donc possible d'y rencontrer des Entités ayant complété leur cycle d'incarnations – donc qui ont fusionné l'énergie de leur Âme et de leur forme – et qui viennent voir les membres de leur famille dans l'espoir de leur faire percevoir leur présence et de les convaincre de la continuité de la vie après la mort.

C'est ainsi que JRobert est amené à contacter des personnages qui ont réussi leur continuité ; plusieurs ont été ou sont encore célèbres, mais la plupart ne sont pas nécessairement connus. Ces Entités fusionnées contribuent à lui faire vivre la dimension du parallèle et à lui faire comprendre comment s'y prendre pour nous montrer à réussir notre continuité à notre tour.

Il lui paraît bientôt indispensable de nous faire vivre le contact avec le monde parallèle pour nous le faire comprendre, car aucune parole n'arrive à rendre compte de cette réalité. À l'été 1995, il organise donc un premier voyage en France avec un petit groupe. Il constate l'efficacité de cette approche, mais aussi que certains se mettent à avoir peur de ne pas réussir leur continuité. Il choisit alors de concentrer tous ses efforts sur l'élaboration d'une réponse plus complète, plus rassurante et plus rapide. En 1998, JRobert expérimente et développe un système de concepts novateurs, pour ne pas dire révolutionnaires, qui illustrent pour la première fois les relations entre l'énergie du corps et le monde parallèle. Les résultats sont probants. Chaque été depuis 1998, il démontre et partage ces nouveautés lors d'autres voyages.

Le message avant la personne

Signalons qu'Oasis a demandé que la photo du channel ne soit utilisée ni sur les livres ni dans la promotion. Cette demande fait écho à la règle qui a dirigé la vie et l'œuvre de JRobert: « Que ce soit les messages à travers moi et non moi à travers les messages ».

Peu d'hommes auront eu le courage de renoncer aux choses visibles pour se lancer aussi passionnément dans l'aventure de l'invisible sans jamais chercher de reconnaissance.

La collection Oasis

La collection Oasis comprend d'abord l'oeuvre des Cellules appelées Oasis : les *Entretiens avec Oasis*. Il s'agit d'une collection de tomes volumineux regroupant les réponses données par Oasis à des gens venus de partout, du Québec, du Canada, de la France, et comprenant un index cumulatif donnant accès aux milliers de sujets traités.

Vient ensuite l'oeuvre de JRobert qui constitue en quelque sorte l'interface pratique des messages d'Oasis. Le livre *La seconde naissance, une raison de vivre* regroupe tous les enseignements du channel. Il présente sous forme de guide les concepts et les exercices présentés pendant les week-ends, le contenu des trois ateliers « Pas de plus », les conférences données en préparation aux voyages de groupe en France et lors de ces voyages.

S'ajoutent enfin des cartes permettant de faire résonner au quotidien des affirmations qui prennent graduellement place en nous et nous reprogramment vers plus de légèreté, plus de compréhension et plus de joie de vivre.

L'oeuvre d'Oasis

 es *Entretiens avec Oasis* sont formés uniquement des messages donnés par Oasis depuis 1989. La structure des tomes a été définie par les Cellules elles-mêmes lors d'une transe privée portant spécifiquement sur les publications. Leurs directives touchaient notamment l'organisation des quatre premiers tomes, la présence d'une session générale des groupes à la fin de chacun des tomes et l'ordre des sujets selon leur degré de sensibilité pour nos sociétés.

L'oeuvre de JRobert

'oeuvre de JRobert s'est construite petit à petit à partir d'une expérimentation systématique de concepts et d'exercices nouveaux avec des gens de toute provenance qui participent aux ateliers, aux week-ends des anciens et aux voyages de groupe.

Chaque fois, JRobert remettait aux participants des notes ou des livrets exposant les étapes de la démarche, les pensées et les exercices qu'il avait conçus. Les explications qu'il donnait aux divers groupes s'adaptaient toujours aux préoccupations et aux questions des participants. Toutes ces explications étaient notées ou enregistrées, si bien que le livre *La seconde naissance, une raison de vivre* constitue la somme originale de toutes les variations dans la manière qu'avait JRobert d'expliquer la matière et de tous les enrichissements qu'il a apportés à son approche au fil des années.

Le pardon

J'aimerais savoir quel effet cela fait de pardonner...

Lorsque cela se fait, c'est que la personne qui reçoit cela n'est pas convaincue elle-même d'avoir fait le maximum pour avoir ressenti le pardon en soi. Dès qu'il y a possibilité que cela n'ait pas été complété, vous vous le refusez vous-même. Entre vous et nous, l'Âme de l'autre forme n'a aucune raison de refuser cela. Lorsqu'elle rencontrera l'autre Entité dans une autre forme, dans une autre vie – si cela se produit –, que se passera-t-il, croyez-vous ? De l'éloignement, sans comprendre; du rejet, sans même entendre parler l'autre. Ce n'est pas à leur avantage. Donc, si en votre Âme et conscience, comme vous dites, vous n'arrivez pas à percevoir en vous et pour vous la totalité du pardon, bien sûr que votre cerveau traduira la même chose. Il ne suffit pas de le demander, il faut y croire et le ressentir à un point tel que la cause de la demande de pardon soit maintenant de l'amour, pas l'amour envers l'autre, mais envers vous. Quand on se pardonne à soi-même, il n'est plus nécessaire de pardonner aux autres parce qu'on ne refait pas deux fois la même erreur. Avons-nous répondu cette fois ? *(L'envolée, II, 19-09-1992)*

Si on a été blessé par quelqu'un qui est déjà décédé, est-ce obligatoire ou nécessaire d'accorder le pardon ?

À qui ? À qui accorder le pardon ? À vous de ne pas l'avoir fait quand c'était le temps ou à cette personne qui n'a pas pu vous comprendre ? Le pardon, vous savez, est d'abord dirigé vers soi-même. Deuxiè-mement, il n'est plus utile vers les autres puisque vous avez déjà pardonné une fois. Faire plus que cela, ce serait d'entretenir la blessure. Prenons un cas spécifique. Vous mentionnez le cas d'une personne qui n'est plus mais qui avait causé des problèmes qui vous ont nui. Il y a deux façons de régler cela. La première est la plus simple et celle que la majorité adopte : continuer d'en vouloir et justifier ainsi les faits de votre vie.

De toute façon, vous direz : « Il est trop
tard, la personne n'est plus là. » La deux-
ième façon est la plus rapide : faire comme
si cette personne vivait, mais pas dans votre
tête. Rendez-vous au cimetière où cette
personne repose – façon de parler, bien sûr
–, à l'endroit où sont les restes de la forme
et parlez tout haut. Croyez entendre les
réponses ! Croyez-y et vous verrez que cela
fonctionnera. Dites ce que vous avez sur le
coeur, ce qui vous étouffe, confiez-vous
comme cela. De la même manière que vous
nous rejoignez en imaginant notre
emblème, vous pouvez rejoindre l'Entité qui
avait la forme, si elle est toujours disponible,
et elle peut régler cela en vous faisant ressentir un peu plus d'amour en vous. Vous
vous ouvrirez totalement par la parole de
façon à vous entendre parler et vous direz :
« Bien sûr, si aujourd'hui j'avais le choix, un
choix différent de celui que j'ai pris, si tu
étais devant moi, voici ce que j'aurais le goût
de te dire... », et terminez toujours votre
phrase en vous disant : « Merci, j'ai appris. »
Et la prochaine fois, plutôt que de vivre un

problème, plutôt que de vous en vouloir ou d'en vouloir aux autres, plutôt que d'imaginer mille raisons d'agir pour démontrer que vous avez compris ce qui ne va pas, ouvrez-vous et traduisez cela dans des mots plus paisibles en vous, des mots du genre : « Très bien, nous avons un différend, c'est certain; nous avons chacun nos raisons; mais ce que j'ai compris dans le passé, c'est que, quand je gardais cela en moi et que l'autre personne disparaissait, cela continuait d'assaillir ma pensée. Je ne veux plus de cela, réglons notre différend. » Sinon, que se passera-t-il ? Vous entretiendrez cela pendant des semaines, des mois, des années même. Rappelez-vous ce que nous venons de vous dire : l'énergie de vos pensées, l'énergie de vos formes doit servir non pas pour se guérir mais pour fonctionner. En voici une autre preuve. Dès que vous êtes absorbés par un fait qui vous énerve, que se passe-t-il ? Votre coeur bat plus rapidement, vous avez des sueurs, vos reins fonctionnent deux fois plus qu'en temps normal, votre système digestif se contracte. Toutes les fois que

vous avez une crainte, une peur, ou qu'une
personne vous blesse le moindrement,
même de façon minime, c'est toute votre
forme qui le ressent. Ceux qui diront : « Je
n'ai pas tout cela » devraient regarder ce
qu'ils font lorsqu'ils dorment. Certains ron-
flent très fort; d'autres tournent constamment dans leur lit, parlent tout seuls, ont des
rêves qui leur font peur. Lorsque vous rêvez
en ayant peur, que se passe-t-il ? Même
chose ! Vous transpirez, votre coeur bat
plus rapidement et cela va jusqu'à vous
éveiller. Que vous le vouliez ou non, si vous
n'apprenez pas à maîtriser ce que vous vivez
quotidiennement, si vous apprenez à vivre
comme vous le faites actuellement, vous
aurez raison de croire que les taux de cancer
doubleront d'ici trois ans. Effectivement,
cela se communique. Comprenez-vous un
peu mieux ? C'est une partie de vos vies,
c'est votre réalité. Par contre, lorsque vous
avez eu des journées que vous avez aimées,
ce que vous appelez de très belles journées
– ces journées où vous n'êtes pas pressés de
vous endormir parce que vous ne voudriez

pas qu'elles se terminent –, vous n'êtes
jamais fatigués; mais dès que quelque chose
vous a ennuyés, vous avez hâte de vous
reposer. C'est ce que nous voulons vous
faire comprendre, que même sans le vouloir
cela fonctionne et que vous détruisez vos
formes chaque jour. Vieillir, c'est cela.
Aucune raison ne pourrait justifier la vieillesse comme telle. Chaque fois qu'une cellule se renouvelle dans vos formes, c'est par
une cellule identique, une nouvelle cellule
aussi jeune que la première. Mais vous êtes
tellement programmés à vieillir dès votre
naissance que vous programmez vos formes
en ce sens : « Lorsque j'aurai 60 ans,
j'approcherai de ma retraite; lorsque j'aurai
65 ans – ce qui est la moyenne d'âge pour
mourir chez les hommes, après leur travail
– je devrai m'occuper ». Et vous planifiez
comme cela : « À 70 ans, j'espère avoir bien
vécu ce que j'aurai à vivre parce qu'entre 70
et 80 ans je n'aurai plus grande liberté ».
Après 80, vous n'y pensez même plus.
Comment voulez-vous que vos formes,
sachant cela, se renouvellent avec des cel-

lules aussi nouvelles ? Cela devient impossible. Dès que vous êtes très jeunes, vos parents vous placent sur les genoux de vos grands-parents et vous les voyez très âgés. Vous les voyez mourir et vous voyez les gens pleurer lorsque cela se produit. Cela renforce vos croyances à la vieillesse et programme très profondément vos formes. Il n'y a aucune raison pour que cela se produise; c'est bien mal vous connaître ! Vous avez toutes les raisons d'être très heureux dans le fond, mais vous avez tous les avantages d'être malheureux; vous avez à la fois la question et la réponse; vous avez à la fois les outils et les raisons de vous en servir. *(L'envolée, II, 19–09–1992)*

Quand j'entends les belles choses que vous nous dites...

Oh ! nous vous remercions.

Quand je veux les mettre en application, je suis souvent comme devant un mur.

Le mur, c'est vous. Ce que nous vous disons, c'est que c'est possible puisque des gens l'ont fait avant vous. Ce qu'il est important de comprendre en tout premier, avant que vous ne puissiez faire quoi que ce soit, c'est qu'il faut apprendre à vous accepter, à vous aimer au travers de tout cela. Peu importent les défauts que vous aurez, cela n'existe que dans vos têtes. Les défauts n'existent pas, sauf pour ceux qui veulent qu'ils soient vrais. Les handicaps n'existent pas non plus, sauf dans les têtes. Apprenez à faire l'inventaire de ce que vous êtes, regardez plus les bons côtés de votre vie, ceux qui vous ont plu. Mettez de côté ceux auxquels vous pensez trop souvent, ceux qui n'ont pas fonctionné, car vous ne saviez pas à ce moment-là. Apprenez à vous pardonner dans l'amour, non seulement vous mais ceux qui vous entourent. Chacun d'entre vous a quelque chose à apprendre, un but, une mission, si vous voulez, mais vous avez un point commun, une Âme, et vous avez tous les moyens d'y accéder. Pardonnez à ceux qui vous

entourent, c'est la meilleure façon de vous
comprendre. Ce ne sont pas des beaux
mots, c'est ce qu'il y a de plus simple.
Pensez à ce qui a fonctionné et oubliez ce
qui n'a pas fonctionné. Ainsi, vous pourrez
recréer ce qui a fonctionné. Prenez l'exemple
d'une personne qui n'a pas réussi à vos côtés,
où l'amour n'a pas pris racine, si vous
voulez. Vous avez trouvé milles raisons
pour que cela ne fonctionne plus. Il y a une
erreur que tous font : ils ne regardent pas ce
qui a fonctionné pour rechercher cela dans
quelqu'un d'autre. À défaut de faire cela,
vos formes émettront, rayonneront la
même chose pour attirer quelqu'un d'autre
et vous recommencerez la même expérience. Rappelez-vous, c'est ce que nous
vous avons dit de plus important aujour-
d'hui. Vos formes parlent trois fois plus
sans que vous ne puissiez en être conscients, et trois fois plus, c'est facilement au
moins trois milliards par forme. Vous
savez, il y a des formes plus commères que
d'autres; il y a plus de communication.
Chez des formes plus fermées, c'est peut

être 100 millions mais peu importe le nombre. Pour une forme en santé, c'est environ ce nombre. Donc, cela se rayonne, cela émane d'une forme. C'est cela que vous ressentez lorsque vous côtoyez les autres, et que vous arrivez à mettre en mots. Nous parlions plus tôt de l'animosité lorsque vous approchez une personne que, pourtant, vous ne connaissez pas. Vous ressentez une énergie que vous traduisez. Si vous ne l'aviez pas vécue, vous ne pourriez la traduire. Qu'est-ce que cela veut dire ? C'est encore plus simple. Dans vos quotidiens, si vous continuez de penser à ce qui ne va pas, vous aurez des gens qui vous le confirmeront à vos côtés, parce que vous ressentirez des gens pouvant vous écouter. Sachez vous entourer ! Pour le faire, allez en vous vers ce qui a fonctionné, apprenez à l'amplifier au point de ressentir la joie en vous, même si vous avez toutes les raisons de pleurer à la journée longue. Encore mieux, car votre preuve sera encore plus simple. Trouvez des événements heureux et amplifiez-les. Cette amplification se fera ressentir chez les autres et vous aurez des gens qui ont le goût de rire à vos côtés, pas des gens qui ont le goût de pleurer. Rappelez-vous, ce que vous pensez a déjà été dit; c'est très important. *(Arc-en-ciel, I, 09–04–1994)*

n nous dit qu'en dedans de nous, on a un côté masculin, un côté féminin et un enfant intérieur. J'aimerais en savoir plus sur notre enfant intérieur.

Le côté masculin et le côté féminin, c'est de la foutaise ! C'est ce que vous avez remarqué devant un miroir à la sortie de la douche. Cela, c'est le côté sexe. En ce qui nous concerne, nous ne voyons pas cela lorsque nous vous regardons. Le côté sexe, c'est le côté que vous voulez jouer de vos personnalités. Il y a des personnalités féminines qui sont plus masculines que féminines, et le contraire est aussi vrai. Donc, c'est ce que vous voulez donner comme rôle à votre personnalité. Nous laisserons cette dimension de côté puisque

nous n'avons jamais eu de forme, mais non
sans vous faire remarquer que cela vous
empêche très souvent d'agir. En ce qui
concerne l'enfant en vous, vous l'avez
appris de différentes façons. Lorsque vous
étiez plus jeunes, dans vos églises, il vous
était très souvent dit : seuls les enfants verront Dieu, ils sont plus sensibles. Tout était
axé sur l'enfant, l'enfant, constamment l'enfant, la naissance de Jésus, entre autres.
Mais d'où provient l'enfant en chacun de
vous ? Trop souvent, de ce qu'il n'a pas pu
être en vous quand vous étiez plus jeunes.
Plusieurs n'ont pas eu de jouets, de frères et
sœurs. D'autres étaient dans des familles
où tout était trop sévère, où même le
sourire n'était pas permis – des extrêmes–,
où jouer n'était pas une façon de devenir
adulte. Quelle bêtise ! Vos formes n'ont
rien oublié, au contraire. Si la période de
votre enfance, majoritairement entre un an
et sept ans, n'a pas été comblée, vous
chercherez toute votre vie à la combler.
Vous croirez très souvent que c'est une
mère ou un père qui vous manquait, alors

que dans le fond c'était vous-même, une partie très puissante de votre réalité. Les sept premières années de votre vie sont décisives. Si vous ne vous êtes pas amusés, si vous n'avez pas eu l'attention nécessaire, même de la part de vos amis, vous rechercherez cela toute votre vie. L'enfant en vous, c'est ce côté de vos personnalités, celui qui se recherche, qui ne sait plus ce qu'il était, qui ne sait plus ce qu'il est devenu, qui ne sait plus ce qui l'a influencé. Et si vous avez eu une enfance plus malheureuse, vous rechercherez toute votre vie, dans votre quotidien, ce qui vous a rendus malheureux, et vous ne le trouverez pas. Refaites ce que vous appelez des renaissances [rebirth], par thérapie si vous voulez, mais qu'est-ce que vous changerez ? Vous serez plus conscients du problème, mais cela ne le changera pas. Le côté enfant de chacun d'entre vous, c'est celui qu'il faut actuellement développer si ces années vous ont manqué. Combien de fois n'avons-nous pas observé des adultes avec des jouets, qui voulaient vraiment s'amuser,

mais qui avaient peur de l'image qu'ils don-
neraient... Pour quelle raison avez-vous des
enfants si ce n'est pour vous-mêmes ?
Renouez ce contact. L'enfant sera toujours
en chacun d'entre vous. Mais aux adultes
nous préférons dire que, pour bien vivre, il
faut au moins 25 % de folie, sinon ce sera
beaucoup trop sérieux. Avons-nous répondu à cela ? Si vous avez une sous-question,
n'hésitez pas.

*J'ai toujours eu l'impression que, lorsqu'on
vivait avec ses émotions, c'était enfantin.*

Mais les émotions sont comme des cicatrices; elles cachent des faits de vos vies. Et
lorsque vous vivez des émotions, c'est pour
ne pas revivre ces faits. En d'autres termes,
si vous avez vécu des événements plus trau-
matisants lorsque vous étiez plus jeunes,
vous vivrez des émotions pour ne pas les
revivre aussi intensément et vous blesser
profondément. Pensez à ce qui se passe en
vous lorsque vous pleurez, lorsque vous
avez des émotions qui vous étreignent, qui

vous étouffent. Vous n'arrivez même plus à penser tellement vous dites avoir de la douleur. Donc, les pleurs, les émotions sont là pour vous empêcher de vivre trop intensément des faits de vos vies passées. Et plus vous les chasserez, plus vous les repousserez, plus ils resteront en vous. Acceptez de vous pardonner, c'est cela le secret de vos vies ! Ac–cep–tez ! Acceptez-vous tels que vous êtes. Cessez de vouloir être parfaits en tout. Nous ne nous adressons pas seulement à vous en ce moment, mais à vous tous. Si vous n'arrivez pas à vous pardonner, vous trouverez quelqu'un qui le fera, mais vous ne serez pas satisfaits pour autant parce que cela ne viendra pas de vous. Lorsque nous disons que vos formes ont un langage – ceci est très important, c'est la clé de vos vies – combien de fois n'avons-nous pas répété que chaque organe de vos formes a son propre langage, autant vos ongles que vos cheveux. Ils ont leur dialogue et votre cerveau traduit tout cela. Si vous n'allez qu'au niveau du cerveau, que vous ne vous

donnez pas au minimum quelques minutes
par jour pour vous ressentir, pour vous
toucher, pour prendre contact avec vous-
même, devinez la suite... C'est votre forme
qui s'étouffera. Les cancers en sont de très
beaux exemples, ainsi que les maladies
sociales telles le sida. Faites-vous pardonner par les autres et vous verrez que vous
chercherez longtemps à vous faire consoler.
Par contre, d'apprendre à tourner la page à
chaque jour, de la signer avec votre coeur,
d'être heureux lorsque vous vivez, de
retourner en avantage ce que vous avez
appris depuis votre naissance à retourner
en désavantage, cela c'est vivre; cela c'est
s'affirmer. Mais trop écoutent à gauche et à
droite, trop se font consoler en croyant
pouvoir oublier. Foutaise ! Foutaise que
tout cela! Nous sommes ici dans cette
pièce à nous adresser à travers une forme
[Robert]. Et nous avons dit combien de
fois que, dans 100 ans, ce serait plus appré-
cié que maintenant. Pourquoi avons-nous
dit cela ? Parce qu'il faut pratiquement
chaque fois un siècle pour changer les

choses. Tant que vous n'avez pas appris à souffrir suffisamment, vous ne changez pas. C'est très décevant! C'est comme si le bonheur était plus souffrant que la maladie elle-même, comme s'il vous fallait souffrir pour être heureux. Cessez de justifier cela dans la douleur. Le bonheur, la joie de vivre, vous le méritez tous! La seule raison, c'est vous! La meilleure raison de vivre heureux : pensez à vous lever demain et pensez à ce que vous aimeriez être demain, afin de l'être maintenant. Pensez aussi à appeler les gens que vous aimez de temps à autre; faites-leur une surprise, en vous surprenant vous-mêmes! Donnant, donnant, c'est la règle. C'est très facile de vous étouffer dans des émotions; c'est facile pour tout le monde de pleurer plutôt que de changer. Mais regardez la raison. Ne vous leurrez surtout pas; vous empêcher de pleurer, refouler des émotions ne changera rien. Vous vous endurcirez jusqu'au moment où votre forme en aura assez des tensions qu'elle vivra, des blessures que vous l'empêchez d'exprimer. Le cancer, c'est cela, entre autres. Exprimez vos émotions, mais une fois qu'elles sont exprimées, regardez-en la cause, pardonnez-vous de les avoir eues si longtemps et offrez-vous une petite gâterie du jour, ne serait-ce qu'un clin d'oeil devant le miroir. Pour plusieurs, cela coûte très cher... Avons-nous répondu ?

Oui, merci. (Co-naissance, III, 12–11–1994)

Pourquoi est-ce si dur de pardonner, d'aimer quelqu'un qui nous a fait mal, même si on sait que c'est la direction qu'il faut prendre ?

Parce que vous refusez en premier de vous pardonner. Vous ne pouvez pas pardonner à quelqu'un d'autre à moins de vous pardonner à vous-même de ne pas avoir compris avant. Cela fait tellement mal dans vos formes de comprendre que vous préférez vous faire mal encore plus. Et retransférer cela sur quelqu'un d'autre, cela fait bien moins mal ! Le pardon, c'est savoir admettre où ont été les torts et de savoir s'aimer suffisamment pour s'avouer à soi-même que l'on s'aime malgré tout. Voilà ce qu'est le pardon. Vous n'avez pas besoin de penser à vous dire « je me pardonne ». C'est de la foutaise. Prenez le fait, sachez l'accepter, aimez-vous pour l'avoir accepté. Ça, c'est le pardon. Comme cela, vous saurez voir ce qui vous entoure. *(Arc-en-ciel, I, 09–04–1994)*

Qu'est-ce qu'on peut faire pour amener quelqu'un sur le chemin du pardon ?

Si cette personne ne peut le faire elle-même, est-ce que c'est la personne qui la conduira au pardon qui commencera à lui faire se pardonner elle-même ? Reformulez cela autrement s'il vous plaît. Nous en comprenons le sens, mais pas l'ensemble.

Pour l'amener sur le chemin du pardon... Quel outil pourrais-je lui amener pour qu'elle le prenne ?

Comme nous l'avons dit au début de cette session, la seule façon qu'une personne ait de pouvoir se pardonner, c'est de se trouver un équivalent plus puissant que la cause du pardon lui-même. Il s'agit de l'amener à se dépasser dans le temps, à aller plus loin aussi. Nul ne peut faire comprendre cela à moins de l'avoir déjà vécu. Le pardon, ce n'est pas seulement l'oubli. C'est se dépasser pour s'aimer plus que la cause elle-même. Ça, c'est le pardon; en fait, c'en est la preuve. Les gens le comprennent lorsqu'ils voient des gens heureux à leurs côtés. Et ceux qui ne le veulent pas ont des gens qui ne sont pas heureux à leurs côtés parce qu'ils verront l'image, ils se retrouveront dans les autres. Les gens qui tentent de convaincre ont souvent à leurs côtés des gens qui veulent être convaincus eux-mêmes. Et ceux-ci ne sont pas ceux qui écoutent le plus; beaucoup d'entre eux refileront leurs problèmes, leurs émotions aux autres. *(L'étoile, III, 12-11-1995)*

S'*affirmer, prendre sa place pour se respecter et se faire respecter* entraîne *beaucoup de changements; cela conduit aussi à la peur du rejet. Comment transcender cette peur du rejet ?*

Lorsque vous parlez de peur du rejet, c'est du rejet des autres, n'est-ce pas ?

Oui.

Et nous vous parlons de la peur du rejet de vous-mêmes, de ne pas le faire. Les gens qui refusent de changer leur vie pour être eux-mêmes, les gens qui finissent par être les autres et non plus eux-mêmes, c'est ce qu'ils font, ils se rejettent. Il faut voir clair dans cela. Et comme nous l'avons dit au début de cette session, vous êtes tous trop portés à aller vers les autres et pas assez vers vous-mêmes. Ce ne sont pas les autres qui feront réussir votre vie, c'est vous. C'est vous qui approcherez les gens qu'il faut.

Pour le savoir, il faut tout de même être
assez sensible, assez ouvert à cela. Donc,
quand vous parlez de rejet, et nous savons
les changements envisagés, c'est trop souvent parce que vous avez peur d'être rejetés
des autres. Et avoir peur d'être rejeté des
autres, c'est un manque de confiance dans
la façon d'être, de s'affirmer. Vous n'êtes
pas obligés de tout changer en 12 heures;
cela peut se faire sur quelques jours,
quelques semaines s'il le faut. Mais dès
qu'une personne commence à changer de
direction pour aller dans celle qu'elle
souhaite, il y a beaucoup plus d'ouvertures
qui se font, beaucoup plus de conscience
qui s'ouvre et beaucoup plus de gens qui
l'encourageront dans cette direction. Oh !
vous trouverez bien en chemin des gens qui
vous diront que ce sont les autres qui vous
ont changés, que vous vous êtes fait monter
la tête, que vous n'êtes plus vous-mêmes...
Effectivement, vous voulez changer ! Il est
normal que vous ne soyez plus vous-
mêmes. Mais si vous avez permis cela pendant 5, 10, 20, 30 ans de vos vies et qu'un

jour vous vouliez changer, accordez-vous
donc le délai nécessaire. Permettez-vous
donc aussi de vous récompenser de temps à
autre lorsque vous allez dans la direction
que vous voulez. Nous vous le disons, le
rejet des autres, ce n'est rien comparative-
ment au rejet de vous-mêmes, car ce
dernier peut vraiment vous faire mourir.
En effet, lorsque vous êtes conscients du
rejet, la forme s'est déjà mise de côté et de
là à ce qu'elle se rejette elle-même, il y a
fort peu. Vous comprenez bien cela ?

*Oui. Est-ce que c'est ce qui amènerait la
maladie chez la personne qui sent le rejet ?*

Si nous avions une note à vous accorder sur
votre réponse, nous dirions 98 %. Ne pas
faire en sorte de se permettre d'être pleinement heureux dans sa vie, pas celle des
autres mais sa vie, c'est cela qui vous dé-
truit. Ce n'est pas parce que vous n'en êtes
pas conscients, mais parce que vous
acceptez d'être inconscients. Lorsque vos
formes réagissent, elles sont malades avant

que vous ne vous en rendiez compte; ce
sont des symptômes ou encore des effets de
la maladie dont vous vous rendez compte.
C'est donc bien avant que vous ne vous en
rendiez compte. Il y a des gens qui se rendent malades pendant 20 ans, d'autres pendant 50 ans de leur vie, avant de l'être.
Tout dépend du degré d'importance que
vous lui aurez donné. Mais oui, effectivement, vous avez 100 % raison. Le 2 %, ce
sont des maladies génétiques ou causées
par vos nourritures. Et nous pourrions
encore une fois subdiviser cette dernière
catégorie, parce que certaines personnes
mangent en sachant que cela ne leur con-
viendra pas et le font quand même.
Certains le feront en fumant, d'autres en
buvant, d'autres en prenant des aliments qui
les rendent malades et continuent quand
même. Heureusement que le mot habitude
existe. Mais dans la grande majorité des
cas, avant d'être malade physiquement,
c'est un mal de vivre qui s'est instauré plus
ou moins profondément. Mais encore là,
vous en êtes venus à croire qu'il en faut

beaucoup pour rendre vos formes malades.
C'est faux ! Il ne suffit que d'une prise de
conscience de soi-même, du rejet de soi-
même si vous voulez, à un niveau plus ou
moins profond, pour que la maladie s'ins-
talle. Bien souvent, lorsque cela se produit,
lorsque la maladie survient, vous avez
oublié le délai, le temps que cela a pris pour
vous y rendre. Vous comprenez bien cela ?

*Est-ce que d'apprendre à se pardonner à
travers cela pourrait aider à se fusionner
avec le corps ?*

C'est un grand terme. Pour vous, apprendre à se pardonner veut-il dire apprendre à
pardonner ce que les gens vous ont fait ?

Non, à se pardonner soi-même de se rejeter.

Dans notre sens à nous, apprendre à se pardonner signifie apprendre à vous pardonner
parce que vous vous êtes permis de vivre
quelque chose que vous n'auriez pas dû
vivre. Dès que vous en prendrez conscience,

ce n'est pas aux autres que vous devrez
pardonner, mais à vous-même de vous
être permis de vivre une situation donnée,
parce que c'est toute votre forme qui aura
réagi dans son interactivité, et réactivité
aussi. Vous en voyez l'ensemble, le produit
fini lorsque vous vous regardez dans un
miroir, mais ce n'est pas la vie. Quand
vous vous regardez dans un miroir, c'est le
reflet de ce qui vit que vous voyez. Lorsque
vous avez une émotion, par exemple une
grande tristesse, ce qui est reflété dans le
miroir, c'est la tristesse de la vie qui est
véhiculée en vous. Et si vous gardez cela
trop longtemps, c'est votre forme qui ne
peut pas le vivre plus longtemps. Appelez
cela maladie, ou rejet, ou ce que vous
voulez. Le secret, c'est d'apprendre à vivre
le donnant, donnant avec soi-même, de
s'apprendre à dialoguer avec soi, de s'apprendre à s'aimer. Cela semble simple, mais
c'est tellement difficile de vos côtés parce
que vous n'arrivez pas à en voir l'aboutisse-
ment, parce que vous avez des préoccupations quotidiennes, travail, enfants ou amis,

comportement, plus vous deviendrez ce que vous n'aimez pas être. Et plus vous le démontrerez aux autres, plus vous vous isolerez. Vous comprenez cela ?

Je ne sais pas si cela répond vraiment à ma question. Ce que j'allais dire, c'est qu'il faut retourner à la cause, probablement à ce qu'on a vécu dans l'enfance.

Ce serait une erreur, vous savez. Et après, que ferez-vous ? Vous reviendrez jusqu'à la naissance ? Et après vous reviendrez jusqu'à ce qui s'est passé il y a cinq ou six jours ? Vous revivrez toujours dans le passé comme cela. Quand nous avons parlé du pardon, qu'est-ce que cela signifiait pour vous, selon votre question ? En d'autres termes, comment pourriez-vous pardonner au point d'effacer le passé et le comprendre pour ne plus le vivre ?

Mais que faire des cicatrices, des blessures qui sont là, des plaies constamment ouvertes ?

Regardez seulement au niveau de la méde-
cine actuelle. Si vous ouvrez continuelle-
ment une plaie, qu'arrivera-t-il ? Si vous ne
la laissez pas se cicatriser et que vous l'ouvrez tout de suite, que se passera-t-il après
un court laps de temps ? Tentez de l'imaginer; la réponse est très simple. Prenez une
plaie et forcez-la tout le temps à s'ouvrir, que
se passera-t-il ? Si cette plaie était sur votre
bras, que se passerait-il avec votre bras ?

Il y aurait du sang ?

Il y aurait beaucoup plus que du sang si
vous forciez cette plaie à toujours demeurer
ouverte; votre forme comprendrait que
c'est inutile de saigner. Quelle est la suite
logique à cela ?

La plaie s'infectera.

La plaie s'infectera. Et après cela ?

*Il n'y a pas de guérison qui se fasse de cette
façon.*

Et après ? Amplifiez, vous verrez !

On peut aller jusqu'au décès.

Et vous pouvez aussi aller jusqu'à couper le bras en premier. N'est-ce pas la même chose dans votre vie ? Plus vous ouvrirez une plaie émotionnelle, plus vous la travaillerez, plus vous vous convaincrez qu'il faut l'ouvrir. Et vous croyez que vous guérirez en travaillant la cause ? Allons donc ! Plus vous travaillerez la cause, plus vous serez certaine qu'il fallait être dans cet état. Une fois que vous l'aurez bien comprise, une fois que vous aurez tous les détails, vous croyez que cela suffira pour oublier ? Vous reviendrez à toutes ces années de votre vie et vous vous direz : « J'avais donc raison de souffrir, j'avais donc raison d'y penser, de me faire mal. » Et après ? Une fois que vous aurez la confirmation de la plaie, qu'est-ce que ça réglera ? Vous réglerez cela avec les autres ? Vous vous ferez mal pendant combien d'années à venir encore ?

Je croyais que c'était la façon de faire.

Effectivement, la psychanalyse le croit. Et lorsqu'elle ne suffit plus, il y a les psychiatres aussi qui vous donneront un peu de produits chimiques pour oublier, si ce n'est pas suffisant avec la pensée. Et lorsque ce n'est pas assez, qu'est-ce que votre forme pourrait en comprendre avec l'exemple que nous avons donné ? Qu'elle est une plaie elle-même et qu'elle n'a pas de raison de guérir puisque vous l'entretenez, jusqu'à ce qu'elle en ait assez, qu'elle vous développe intérieurement ce que vous pensez extérieurement. Et quelle partie de vous aimeriez-vous vous faire enlever ? Ce n'est pas cela la vie ! Vous pourriez tous revenir sur un passage qui n'a pas été heureux, peu importe la profondeur de la blessure. Vous auriez tous quelque chose à vous reprocher ou à reprocher à quelqu'un. Mais jusqu'où voulez-vous vous rendre ? Jusqu'où ? Pas un être humain ne meurt sans avoir quelque chose à reprocher ou à se reprocher. Et ce sera encore comme cela dans 1000 ans, dans 2000 ans. La question que nous avons à vous poser est très simple. Combien de temps voulez-vous vivre ? Donnez-nous un nombre d'années.

Encore très longtemps pour...

Très longtemps, cela peut être deux heures pour ceux qui savent qu'ils vont mourir. Donnez-nous un nombre d'années. Combien de temps voulez-vous vivre ? Ressentez-le en vous avant de le dire, pour nous éviter de corriger le nombre.

C'est difficile; je ne suis pas capable de...

Difficile ? Regardez à votre droite. Demandez à cette personne combien de temps elle veut vivre et qu'elle nous donne le nombre d'années.

J'aimerais vivre jusqu'à 100 ans. Ça veut dire qu'il me resterait encore...

Suffisamment de temps pour y penser ! Rares sont ceux ici qui ne pourraient pas donner un nombre d'années. Pourquoi n'avez-vous pas pu le faire, selon vous ? Nous ne répondons pas dans un but personnel, mais cela en fera réfléchir d'autres. Pourquoi n'avez-vous pas pu trouver un nombre ? Nous allons y répondre si vous ne le faites pas, mais nous préférerions que vous fassiez un petit effort. Pourquoi vous est-il difficile de donner un nombre d'années ? À votre avis ?

...

Dans ce cas, nous allons y répondre. Parce que vous êtes restée accrochée au passé et que, dans votre forme ainsi que dans l'analyse de votre tête, il vous est difficile de dépasser la journée même puisque vous êtes restée trop longtemps dans le passé. Dans ce sens, votre forme ne voit pas d'avenir. Et lorsque vous n'arrivez pas à le faire, votre forme se blesse elle-même. Vous croyez que vos formes raisonnent parce que vous arrivez à penser, mais c'est faux tout cela ! Ce n'est pas comme cela

que vous vivez. Vous croyez vivre, mais
vous subissez beaucoup plus que vous ne
vivez, surtout lorsque vous croyez à des
plaies intérieures, et même si ces plaies ont
existé. Quand nous avons parlé du pardon
il y a quelques minutes, c'était dans ce sens,
dans cette compréhension de chacun d'entre vous. Dites-vous une phrase comme
celle-ci : « Je me pardonne de ne pas avoir
compris que c'était ma vie, et qu'il y avait
un demain, et que ce demain ne devait pas
être à l'image d'il y a 24 heures. » De ne
pas l'avoir compris, voilà ce qu'il faut pardonner. Pas pardonner les faits, car ils
demeureront, mais vous, si vous voulez
vivre. Remettre en question des événements passés qui ont blessé, vous pourriez
passer votre vie à le faire, peu importe le
nombre d'années. Mais quand aurez-vous
la certitude que votre forme vous aura pardonné du nombre d'années pendant
lesquelles vous lui aurez fait subir de telles
pensées de douleur ? Vous croyez qu'une
pensée n'est que dans la tête ? Vous faites
erreur ! Lorsque vous y pensez, votre

forme l'a déjà subie. Avons-nous répondu
à cela ou désirez-vous rajouter ?

*Alors comment faire à ce moment-là pour
réussir ? Tout simplement pardonner ?*

Vous pardonner, n'est-ce pas la meilleure
chose à faire dans votre cas, en partant ?
Mais vous le permettrez-vous ? C'est une
chose de dire « je me pardonne », mais de
l'accepter, c'est une autre chose. Accepter
veut dire tourner la page, se faire une pro-
grammation différente pour le lendemain,
se dire que vous ne pouvez pas modifier le
passé puisqu'il est ce que vous êtes
actuellement. Et si vous n'arrivez pas à voir
pour vous dans cinq ans, dans trois ans,
même dans un an, le bonheur que vous
voulez vivre, vous ne le serez jamais
actuellement. En d'autres mots, pour vivre
pleinement vos vies, il ne faut pas seulement vous arrêter au quotidien parce que, si
vous vous arrêtez au quotidien, vous vivrez
avec le passé. Il faut aller plus loin que cela.
Projetez-vous dans un an, dans cinq ans, et

regardez ce que vous voulez devenir, ce que vous voulez vivre. Pardonnez au passé si vous ne pouvez le faire pour vous, mais apprenez à compenser. Qu'est-ce que cela veut dire ? Que vos formes, dans la mesure de leur compréhension actuelle, doivent compenser une douleur du passé pour accepter un futur différent. En d'autres termes, vous compenserez une douleur passée par un plaisir futur. Le futur, c'est dans l'instant même et plus loin, jusqu'à ce que ce soit tellement amplifié que vous en veniez à oublier ce qui a causé le problème. Nous avons observé plusieurs cas d'inceste chez des personnes qui sont venues ici, dans d'autres groupes aussi. Nous avons observé beaucoup de ces cas d'enfants abusés, de ces formes marquées par ces événements, mais ce qui les caractérisait encore plus, c'est qu'ils entretenaient cette douleur en eux. En fait, ces gens croient tous la même chose : ils en veulent quand même à ceux qui l'ont fait même s'ils croient que non, mais ils s'en veulent encore plus à eux-mêmes de l'avoir vécu. Il faut dépasser ! Il faut dépasser parce que plus vous entretiendrez votre passé dans vos têtes, plus vous vous donnerez une raison d'en finir. Aucune forme physique et aucune matière non plus, même le bois, ne vit s'il n'est pas entretenu. Tout pourrit, même vos formes que vous croyez vivantes. *(L'étoile, III, 12–11–1995)*

Qu'est-ce qui fait qu'une personne abusée sexuellement quand elle était jeune ait tout oublié pendant de nombreuses années ? Est-ce possible qu'elle ait fait une coupure avec son Âme en essayant de s'autodétruire sans comprendre pourquoi ? Et comment peut-elle faire face à toutes les émotions qui refont surface ?

Bien souvent, les gens qui revivent ces situations ont vécu soit avec des gens à leur côté qui le leur ont fait penser, soit avec des gens qui les ont fait régresser – nous ne dirons pas le nom de cette technique, nous sommes tellement contre – vers des points de leur vie dont ils n'avaient pas à se sou-

venir. Laissez-nous élaborer un peu plus.
Pour en revenir à l'élaboration de votre
question, qui prendra quelques minutes,
cela rejoint non seulement les questions
d'abus sexuels, mais tout autre problème
que vous pouvez vivre émotivement sans
l'avoir vécu vraiment ou sans pouvoir vous
en souvenir. Il faut vous dire une première
chose : si vous ne vous en êtes pas sou-
venus, c'est que cela ne vous regardait pas,
que vous n'aviez pas à le vivre et que c'était
une expérience qui ne vous regardait pas.
Vous direz : « Mais c'était notre forme ! »
Qu'en savez-vous ? Dans les cas de régres-
sion – erreur majeure, et ce terme de
renaissance que vous employez pour la
nommer, quelle foutaise ! –, vous revenez
trop souvent vers des points d'imagination
créatifs. Vos cerveaux en viennent à croire
ce qui n'est pas, juste pour vous rendre réel
un état d'être que vous véhiculez fausse-
ment et mettre un mot, une occasion ou un
fait sur cet état. Vos cerveaux sont passés
maîtres à ce niveau. Et si ce n'est pas suffisant, ils traduiront vos Âmes, qui ont eu

d'autres expériences dans des formes et qui
ont gardé celles qui les ont le plus marquées de façon à ne pas les revivre. Ce ne
sont pas des karmas; encore une foutaise de
vos mots mal compris ! C'est le contraire
qu'il faut comprendre. Donc, ces gens qui
reviennent et qui n'ont pas pu justifier avec
leur cerveau les réponses à se donner se le
feront vivre, et cela peut aller jusqu'à
mourir physiquement. Revenir en arrière
ne vaut rien. Et si ce n'est pas assez,
comme nous l'avons mentionné, quand le
cerveau abandonne totalement et qu'il peut
traduire l'expérience de l'Âme, comme cela
peut se faire par l'entremise de gens très
habiles, vous pouvez vivre deux choses. Ou
vous discernerez l'expérience d'une vie
passée de l'Âme qui est en vous, expérience
qu'il ne sera peut-être pas vraiment
agréable de vous rappeler physiquement et
qui fera comme partie prenante de vous
puisque l'Âme est en vous et est déjà partie
de vous-même; vous en viendrez donc à
croire que c'est vous. Ou encore – c'est le
pire des cas, et il est souvent observé – vous

vivrez une expérience de la personne qui
vous accompagne dans cette expérience et
vous l'adopterez pour vous, ce qui fera
plaisir à la personne qui vous la redonne
sans qu'elle n'en soit consciente elle-même.
Elle vous dira : « Enfin, je lui ai trouvé une
réponse ! » C'est de la foutaise ! Enterrez
cela, ça presse ! Ceux qui font des sous
avec cela s'appauvrissent eux-mêmes. Ce
n'est pas cela montrer. C'est tout le contraire. Ce n'est pas renaître mais naître qui
compte. Vous nous parlez d'expériences
vécues difficiles à vivre parce que vous vous
arrêtez sur un point de votre vie et que, ce
faisant, vous arrêtez ainsi tout votre futur.
Votre futur, c'est aussi votre fusion, et c'est
aussi la vie de l'Âme. Vous l'étouffez ! Plus
vous revenez en arrière pour vivre ce qui a
été vécu, plus vous l'étouffez ! Vous n'avez
aucune idée si c'est l'Âme qui se donnait
cette expérience, ex–périence, expérience
passée. Jouez avec cela et vous jouerez
avec votre propre vie. Cela vous empê-
chera aussi de vivre avec amour les gens qui
ont de l'amour à vous donner vraiment. Ce

faisant, vous vous donnez des limites; vous
vous donnez des limites autour de vous,
vous vous refermez en vous. Sachez voir
plus loin que votre ressenti. Lorsque nous
disons voir, ce n'est pas avec vos yeux, mais
avec ce que vous vous empêcherez de vivre,
ces fausses réalités que vous finissez par
croire. Forcer un souvenir, c'est sous–venir
qu'il n'y avait rien. C'est sous, pas en surface. Et très souvent, vous en venez à les
imaginer parce que cela fait votre affaire d'y
croire. Il faut bien un malheur pour être
heureux, n'est-ce-pas ? Il faut bien un malheur pour reconnaître quand vous serez
heureux... Ce n'est pas cela le donnant,
donnant. Et ceux qui nous disent se rappeler vraiment avoir vécu des gestes
d'inceste, entre autres, malgré l'horreur que
cela peut représenter, vous avez deux
choix. Ou vous vous arrêtez de vivre au
point de vous étouffer et de mourir avec ce
problème pour vous punir, vous en premier
et les autres. Ou vous regardez et vous
apprenez à vous poser une question : qui a
subi l'inceste , la forme ou l'Âme ? Qui la

subira longtemps ? Qu'êtes-vous prêts à donner en échange ? Vos sociétés vous font vivre des drames quotidiennement. Ils vous les montrent aux heures de repas, comme si ce n'était pas assez de mal vous nourrir. Donc, imaginez la puissance que vous avez dans vos formes pour vous autodétruire. Il n'y a pas un seul être humain qui n'ait pas la conscience et le goût de vivre. Mais il n'y a pas, il est vrai, un seul être humain qui n'ait pas le don de s'autodétruire aussi. Votre question devrait être celle-ci : sachant ce qui m'est arrivé en étant consciente, comment puis-je dans un avenir certain passer outre à tout ce que j'ai pu vivre et me donner en plus le goût de vivre ? À cela nous pouvons répondre. Seuls la totalité de la compréhension de l'être que vous représentez, et l'amour que vous aurez, et la foi que vous aurez dans cet amour pour vous, et la vision créative de votre futur et celle que vous pourrez ressentir comme étant vraiment vôtre pourront vous donner ce que vous appelez la vie. En d'autres termes, choisissez de renaître et rebaptisez-vous vous-même, même si cela doit passer par le changement de votre nom. Allez jusque-là. *(L'élan du coeur, I, 28-04-1996)*

*M**oi aussi, je suis complètement perdue !***

Très bien ! C'est encore mieux ! N'est-ce pas ainsi que vous cherchez à vous retrouver, en vous perdant ?

Je trouve que c'est un peu pénible à vivre.

Mentionnez cela autrement.

J'ai l'impression que je perds du temps quand je suis perdue.

Avec nous ?

Non, non, je parle dans ma vie.

Mais n'est-ce pas ce que vous êtes venue retrouver ici ? Une façon de vous retrouver ?

*Depuis la dernière fois qu'on s'est rencon-
tré, j'ai l'impression que j'ai trop de possi-
bilités tout d'un coup.*

C'est encore mieux !

*Mais comment reconnaître ma vraie réa-
lité ?*

Il y a combien de temps que vous faites
cette démarche ?

Avec vous ?

La démarche complète.

Deux ans.

Qu'est-ce que ces deux années vous ont
donné avant nous ?

Un peu de paix.

Un peu de paix... Comment vous y êtes-
vous prise ?

J'ai senti beaucoup d'émotions dont je n'avais pas pris conscience.

En général, à qui ces émotions étaient-elles reliées ?

À mon passé.

Et que pouvez-vous en changer ?

J'ai envie de passer à autre chose.

N'est-ce pas ! Vous avez consacré toute votre foutue vie à regarder en arrière, à tenter de réparer ce qui était cassé, à tenter de réparer ce que vous ne pouviez réparer ! Donc, vous avez appris à vous en faire, à vous remettre en question. Et tout le temps que vous avez perdu à faire cela, qu'avez-vous mis de côté, à votre avis ?

Ma vie, mes réalités.

Tout à fait ! Vous avez perdu de vue ce que vous deviez vivre et les gens qui voulaient le vivre avec vous. C'est comme si vous étiez en train de nager dans un océan, mais que vous aviez paniqué ne sachant trop où était la rive. Et cela, c'était votre passé. Plusieurs, ici, ont ce problème. Vous avez appris, et les gens vous y ont aidés, à régler le passé pour que le futur soit meilleur. C'est de la foutaise ! Ce que vous faites aujourd'hui, c'est déjà du passé; votre question est déjà dans le passé. Ce que vous réaliserez, ce que vous voudrez vivre sera le futur. Le futur n'existe pas. Vos vies ne sont pas linéaires, et c'est là votre erreur ! Vous avez appris à fonctionner de façon linéaire. Il est très important que vous le compreniez. Vous avez appris que tout était linéaire, ce qui est faux, tout à fait faux. Vous allez d'un endroit à un autre en avançant dans une direction ou dans une autre, et vous croyez qu'il en va ainsi pour vos vies; vous croyez que le passé, le futur et le présent peuvent être montrés du doigt sur une échelle, que le passé est en arrière, donc plus loin, comme le futur. Eh bien, c'est faux, totalement faux ! C'est ce qui a

faussé la notion des distances. Vous êtes
constamment au même endroit; que ce soit
le passé ou le présent, c'est au même
endroit. La preuve ? Pensez à un problème
que vous avez vécu il y a très longtemps et
vous vous rendrez compte que, lorsque
vous y penserez, vous y serez déjà. Ce ne
sera plus loin, ce sera le présent. Donc,
pour en déduire ce qu'il faut vivre, réglez
les choses à mesure que vous les vivez ! Et
ne faites pas de projets pour dans deux ans,
trois ans, cinq ans. C'est une totale perte
d'énergie ! Ce que vous vivez, c'est maintenant; votre futur, c'est maintenant ! Et
votre passé, c'est aussi maintenant; c'est ce
que vous êtes. Revenir en arrière, c'est vous
empêcher de vivre actuellement. Si vous en
avez assez de votre passé, si ce n'était pas
ce que vous souhaitiez, revenez simplement
à l'instant même et choisissez de vivre ce
qui vous plaît. À défaut de comprendre
cela, vous prendrez ce qui était dans votre
tête dans le passé et vous voudrez vous
créer un futur maintenant. Tentez d'y comprendre quelque chose ! Sinon, comme

Serge, vous vous remettrez en question et,
comme lui, vous n'aurez jamais de rames
assez longues pour aller dans la direction
que vous voulez parce que vous ne saurez
pas où vous êtes. Le temps n'est pas une
chose linéaire. La journée où vous pourrez
mettre cela en pratique, vous pourrez vous
déplacer où vous voudrez dans le monde
sans vos voitures parce que c'est le même
endroit et que vous faites partie de tout
cela. Nous allons rajouter quelque chose
d'important : vous n'existez que par imagination, création imaginaire, de même que
ce que vous apercevez. La déduction est
facile à faire. Nous voulons revenir à l'in-
tervenante et lui demander : quand avez-
vous fait quelque chose juste pour vous, une
gâterie ?

Cela fait longtemps.

Trop, n'est-ce pas ? Vous devriez prendre
la résolution suivante : « À partir de maintenant, ce dont j'aurai envie sera. » Et
faites-le ! Si vous n'y arrivez pas, vous

serez au même point dans 5 ans, 10 ans :
trop vers les autres, pas assez vers vous-
même. Vous reviendrez alors dans le passé
pour chercher la raison du présent. Vous
tenterez de le justifier par des événements
de vies passées et vous ne trouverez pas
parce que chaque événement que vous
trouverez vous ramènera à un autre, et un
autre, et un autre. Donc, si vous savez
faire des déductions, nous venons de vous
dire que vous pourriez vivre à reculons le
même nombre d'années que vous venez de
vivre. Vous avez 30 ans, 40 ans, et vous
voulez régler le passé ? Très bien. Mais
chaque chose que vous réglerez en
apportera une autre. Cela prendra 40 ans,
et encore, vous n'en aurez pas encore la
certitude ! Donc, vous serez rendus à
80 ans et vous direz : « J'aurais dû, j'aurais
donc dû ! » Vos formes agissent de la
même façon. Prenez 10 ans pour les rendre malades à penser ainsi et il vous en
faudra 10 aussi pour les remettre en forme.
(Co-naissance, II, 08–10–1994)

Les événements de notre passé affectent beaucoup notre comportement présent...

Vous savez pourquoi ? Tout simplement parce que vous ne vous êtes pas débarrassé des événements passés, que vous les avez bien souvent pris comme des poids lourds plutôt que des forces, que vous n'avez pas toujours compris l'exemple qu'ils devaient vous procurer. Donc, vous vivez avec ces exemples dans votre tête, jusqu'à ce qu'ils soient compris ou que vous ayez vécu un autre exemple similaire vous permettant d'aller encore plus loin. Ceux qui ne vivent pas avec le passé, qui vivent en marge du futur, dont le futur est déjà dans la seconde suivante, sont ceux qui règlent leurs problèmes et cessent d'y penser. Nous comprenons le sens de votre question. Veuillez continuer.

Ce n'est pas toujours facile d'identifier les traumatismes passés. On peut formuler bien des hypothèses, mettre le doigt dessus et dire : « C'est cela qui fait qu'aujourd'hui dans telle situation... »

Parenthèse : vous pouvez toujours chercher de façon consciente comment régler un problème qui persiste dans votre vie actuelle, mais si vous n'y arrivez pas, savez-vous ce que votre Âme fera ? Elle puisera des expériences similaires à votre problème dans ses expériences passées et elle tentera de vous les faire vivre, soit par votre entourage, soit par des exemples de vécus, pour que vous compreniez plus vite. Et si vous rejetez encore une fois ce vécu, il s'en-suivra un autre phénomène : votre forme saura très bien ce qui se passera en elle et se rendra malade, de façon à ralentir son cycle de vie pour que vous puissiez comprendre.

Si j'ai la tête dure et que je ne comprends toujours pas, qu'arrive-t-il ?

Vous connaissez le cancer ? C'est la solu-tion finale. Et il y a trois autres maladies qui attendent leur tour; elles seront beaucoup plus radicales. En fait, savez-vous ce qu'est le cancer ? Si nous éliminons les cas génétiques, qui sont de plus en plus nombreux, le cancer n'est autre qu'une rébellion de vos cellules. Il vous faut comprendre aussi que, lorsque vous imaginez votre corps, vous le voyez divisé en différents organes. Vous dites : le coeur, c'est le coeur; les poumons sont les poumons. En fait, il ne s'agit que d'une seule pièce. Toutes les cellules composant vos formes se contactent entre elles et réagissent à vos pensées, en tout premier lieu. Donc, c'est la forme entière qui se rebelle. Bien sûr, les cellules cancéreuses profiteront des parties de votre organisme qui sont les plus faibles, les plus vulnérables, au cas où vous pourriez comprendre. *(Maat, I, 09-11-1990)*

Lorsqu'on ressent un vide intérieur et qu'on cherche à le comprendre, est-ce que le fait de vivre une expérience de rebirth peut nous aider ?

C'est une question piège ! Il y a deux réponses possibles. Dans certains cas – nous disons bien dans certains cas – et lorsque l'expérience est adéquatement guidée, cela peut aider. Dans d'autres cas, cela peut vous amener à comprendre des liens qui ne vous appartiennent pas dans votre vie actuelle. Ce qui ne peut être compris sera alors rejeté et cela amènera des bagarres intérieures interminables dans vos formes. Ce que vous n'arrivez pas à comprendre, c'est que vous n'avez pas à le comprendre. Une autre chose se produit avec ces phénomènes : vos cerveaux seront portés, pour répondre à vos attentes, à créer des faits, et cela vous met beaucoup plus à l'envers que la réalité elle-même. Il ne faut pas jouer avec cela ! Aucunement ! Trop peu de gens savent le pratiquer honnêtement et font de vous des clients. Hypothéquer une partie d'une inconscience pour des faits que vous ignorez, qu'est-ce que cela peut vous apporter ? Cela veut dire que vous ne profitez pas assez du présent pour vous et que vous préférez

revenir en arrière pour trouver une raison
justificative à vos états actuels. Regardez !
Combien refusent leur état, ce que la vie
leur a donné ou ce qu'ils ont refusé de prendre ! Comment justifier cela ? C'est beaucoup plus simple de trouver une cause
inconnue, un espace intérieur qui n'est pas
plein. Effectivement ! Puis, il y a les gens
qui sont trop sensibles – il y en a beaucoup
– et qui perçoivent des influences
intérieures que l'amour a eues, que l'amour
a adaptées, des formes qui ont su percevoir
cela bien avant la réalité de l'Âme elle-
même et qui n'ont pas su l'utiliser. Ils ont
cru que cela leur appartenait, ils ont
cherché des événements et n'ont trouvé que
des vides. Nous vous le disons : ne jouez
pas avec cela ! Si vous avez un vide, c'est
que rien ne vous concerne. Soyez encore
plus occupés dans le conscient, dans
l'actuel. Trouvez des passe-temps si vous
voulez, mais ce n'est pas comme cela que
vous renaîtrez. Vous ne renaîtrez pas en
repassant les événements de votre vie.
Vous renaîtrez en passant au travers et en

acceptant d'agir pour être nouveau. Renaître, c'est accepter de jouer avec soi-même pour profiter de la vie, avec tout ce qu'elle a à offrir. *(Marée et allégresse, III, 06–11–1993)*

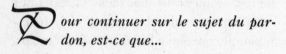 *our continuer sur le sujet du pardon, est-ce que...*

Le pardon, c'est aussi l'acceptation. La journée où vous accepterez votre passé comme étant garant de ce que vous êtes devenus aujourd'hui, il n'y aura plus de passé parce que vous apprendrez à profiter de chaque instant que vous vivrez.

Est-ce un faux pardon de dire que je pardonne à quelqu'un, si que je ne veux plus voir cette personne-là ? Pour pardonner vraiment, est-ce qu'il faudrait le dire à la personne ou peut-on tourner la page sans garder le contact ?

Dire à une personne : « Je te pardonne pour ce que tu m'as fait », ce n'est pas se pardonner à soi-même. C'est d'admettre qu'il y a

eu un problème, de le dire tout haut et de
l'entretenir. Et si l'autre personne vous
disait : « Je n'ai rien à regretter » ou « Cette
vie-là, je l'ai faite et qu'est-ce que je peux y
changer », qu'est-ce que cela changerait ?
Rien du tout, sauf que cela donnera encore
un peu plus de feu à l'intérieur de vous, fera
encore plus mal, et vous vous direz :
« J'avais donc raison; cela fait encore plus
mal, j'avais raison d'avoir mal. » Plus vous
en serez convaincue, plus votre forme aura
des réactions, maladie, cancer et autres.
C'est ainsi que vos formes réagissent. Si
elles n'ont pas de raison de vivre, elles n'ont
pas de raison de continuer. Prenez un bout
de bois. Si vous ne l'entretenez pas, si vous
le laissez sous toutes les intempéries, il ne
fera pas 1000 ans. Il s'écrasera, pourrira,
comme une plaie ouverte sur votre bras,
comme une plaie toujours ouverte à
l'intérieur. Lorsqu'il y a des ulcères, des
crises de foie, de quoi une forme parle-
t-elle ? Que veut-elle exprimer ? Ce sont
des déchirures intérieures, des raisons de ne
plus fonctionner, des dysfonctionnements.

Et très souvent le pire dans tout cela, c'est
que les gens continuent d'entretenir cela et
ont une raison de haïr leur vie. Une de
plus !

*Ça veut dire que le vrai pardon, c'est
tourner la page pour soi-même, point final ?*

Ça veut dire que vous ferez comme pour un
bout de bois que vous voulez entretenir.
Vous le protégerez, le recouvrirez de beaucoup d'affection, le gâterez de façon à ce
qu'il ne se gâte pas et le tiendrez près
de vous, bien au chaud, bien au sec. Faites
la même chose avec votre forme. Gardez-la
bien au chaud de vous-même, protégez-la,
apprenez à vous aimer, à vous récompenser
de temps à autre. Une forme qui s'en veut
ne se récompense pas beaucoup, vous
savez ! C'est plutôt le contraire; elle tente
d'avoir une raison de le faire et, très souvent, c'est la maladie qui devient la raison.
Et si cette forme a une raison encore
meilleure de ne pas s'aimer, c'est la mort
qui suivra, peu importe ce que vous en

penserez. Une autre parenthèse dans cette réponse, parce que la question était très courageuse... Il faut que vous compreniez que, si votre forme n'a plus de raison, l'Âme non plus. Si la conscience de l'énergie dans votre forme n'en est pas une solide, qui aime la matière qu'est votre forme, qu'est-ce qu'une Âme ferait avec cela ? Elle n'en aurait pas besoin. Une continuité, une perpétuité ou une vie éternelle si vous voulez, il faut que ce soit avec quelqu'un que vous aimez vraiment. Et cela devrait être vous. Dans votre cas, tournez la page; c'est un bon exemple. Peut-être aussi qu'entretenir un bout de bois qui a déjà commencé à dépérir jusqu'à ce qu'il soit en bonne condition, ce serait un bon exemple. *(L'étoile, III, 12-11-1995)*

Les personnes qui ont subi l'inceste, qu'est-ce qu'elles font avec les gens qui ont fait l'acte ? Est-ce que cela empêche d'évoluer si elles coupent complètement les ponts avec ces gens-là ?

Il y a deux façons de voir cela. Ou vous ne coupez pas les ponts et vous continuez de vivre cela comme si c'était au présent et vous finissez par détruire votre forme parce qu'elle ne s'acceptera pas, avec tous les désagréments que cela peut causer. Ou vous acceptez de voir cela comme une expérience passée que d'autres n'ont pas eue et de voir l'avantage que cela aura dans le futur. Déjà, la force que cela peut demander de passer outre à une expérience qui est pour le moins difficile au niveau psychologique et physique... Il est vrai que cela peut marquer une personne pour la vie; il serait faux de vous faire croire qu'une personne qui a vécu l'inceste puisse l'oublier totalement. C'est faux, à moins de prendre des produits très chimiques pour vous faire vivre une autre dimension, toujours dans le physique. Vous appelez cela des drogues ou des alcools. Mais chez les gens normaux, entre parenthèses, qui ont à vivre leur quotidien avec une cause comme celle-là, il y a toujours deux solutions. D'ailleurs, dans tout ce que vous vivrez,

vous n'aurez que deux solutions. Ou vous
continuez d'entretenir, d'augmenter cette
douleur en vous, et nous vous garantissons
que votre vie sera pénible et longue parce
que, même si ce n'est pas 24 heures sur 24,
il viendra toujours un moment pour vous le
faire vivre et vous y faire repenser; dans ce
cas, votre forme finira par se détruire par
un cancer ou d'autres formes de maladie, ce
qui est habituellement le cas. Ou encore
vous admettez que cela a eu lieu et vous
imaginez tourner vraiment une page dans
votre tête, en vous disant : « Très bien, j'ai
vécu une expérience traumatisante, toute
ma forme continue cette vibration, maintenant il me faut trouver l'avantage de tout
cela. Il me faut le lendemain, le but à
atteindre, la force que d'autres n'auront pas
de combattre un fait de vie aussi mar-
quant. » Vous savez, il serait pénible d'expliquer tous les cas, toutes les raisons pour
lesquelles cela s'est produit chez les gens.
Les explications ne sont pas toujours de vos
vies actuelles non plus, et cela n'a rien à
voir avec ces faux karmas qui sont si mal

enseignés. Ce n'est pas une punition que
vit la forme puisqu'elle le vit déjà comme
un punition lorsque cela se produit. Ce
n'est pas cela. Ce sont très souvent des
souvenirs tellement puissants chez les gens
qui font cette chose ! Ils sont eux-mêmes
déphasés, c'est pourquoi ils le font souvent
avec leurs propres enfants, mais ne s'en rendent même pas compte. Tenter de vous
expliquer tous les détours que cela prend
dans vos têtes prendrait beaucoup de
temps; il faudrait plusieurs sessions juste
pour vous expliquer les causes des cas que
nous avons pu observer. Sachez une chose
cependant, dans la majorité, pour ne pas
dire la très grande majorité des cas, cela
n'est jamais rattaché à une vie présente.
Pratiquement jamais. Par contre, ce sont
ceux qui vivent le présent qui y sont
attachés. C'est dans ce sens que nous vous
disons qu'il ne faut pas revenir en arrière.
Demain vous serez quoi si vous continuez
cela ? Pour emprunter les paroles de cette
forme [Robert], rebâtissez-vous une ombre
que vous aimerez, remodelez-vous. C'est

dans cela et dans la foi en une continuité que vous aurez que vous trouverez votre réponse.   Voyez comme l'expérience de cette forme [Robert] fut importante; nous avons même employé les termes de celle-ci... Avons-nous répondu à votre question ?

Oui, mais je vis la pression de ma famille qui voudrait que j'oublie tout et que je reprenne contact avec la personne qui m'a abusée. Je suis contre, mais c'est toujours une bataille.

En fait, vous êtes contre le fait de ne pas l'avoir totalement accepté vous-même. Ce ne sont pas les autres qui doivent vous forcer à accepter; c'est vous qui le choisirez quand le temps sera venu, quand vous aurez pardonné à votre propre forme d'avoir vécu cela. Trop souvent, le pardon est fait vers l'extérieur. C'est pourquoi il est si difficile de pardonner. C'est vers vous que vous devez prendre cela. S'il faut, pour cela, que vous vous éloigniez des gens que vous avez côtoyés tous les jours, faites-le.

Mais c'est pour vous et dans votre sens de raisonnement que vous l'accepterez. Cependant, il faudra beaucoup d'amour pour vous, pas pour l'autre, afin d'accepter le fait. Vous comprenez cela ? C'est dans ce sens que nous vous avons répondu : rebâtissez votre ombre, votre vous-même, pour que ce que vous voyez vous plaise vraiment. C'est comme cela que vous vous pardonnerez, non que vous ayez vraiment à vous pardonner, pas dans ce sens. Rappelez-vous que l'inceste, le conscient en a été conscient, mais ce ne fut qu'une traduction de toute la forme. Donc, cela doit se vivre ailleurs que dans la tête. Projetez-vous autrement. Et plus vous vous aimerez, plus vous comprendrez qu'en fait, ce n'est pas l'autre qu'il fallait pardonner, mais il fallait vous aimer suffisamment pour vous-même. C'est une très bonne question. *(L'élan du coeur, II, 19–05–1996)*

Il y a eu tellement d'enseignements que de continuer serait de vous faire oublier. Tous autant que vous êtes, vous faites un cheminement formidable. Dites-vous que c'est un bon début et non une fin. Vous aurez toujours le choix de continuer ou d'attendre. Vous avez tous notre amour et nous vous remercions de la part de nous toutes.

Oasis

La collection Oasis

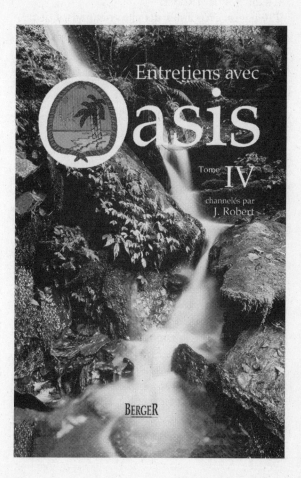

Entretiens avec

Oasis

Tome IV

channelés par
J. Robert

BERGER

Entretiens avec Oasis, tome I
Channelés par JRobert
720 pages, avec index détaillé et cumulatif des
    sujets et des noms propres
ISBN 2-921416-05-0
1994
- Ce que sont les Cellules, les Entités, les Âmes et
  les formes
- But de l'intervention actuelle des Cellules sur la
  Terre
- Cycle des réincarnations
- Comment prendre soin de nos formes
- Naissance, vie, respect de soi
- Vieillesse, maladie et mort
- Faux espaces entre la matière

Entretiens avec Oasis, tome II
Channelés par JRobert
732 pages, avec index détaillé et cumulatif des
    sujets et des noms propres
ISBN 2-921416-09-3
1995
- Ensemble qu'on appelle Dieu, et religions
- Notre planète
- Âme comme raison de vivre
- Influences, énergies, peurs
- Comment contacter notre Âme à travers les
  rêves, l'intuition, la méditation et l'amour de soi
- Liens entre les faux espaces

Entretiens avec Oasis, tome III
Channelés par JRobert
732 pages, avec index détaillé et cumulatif des
  sujets et des noms propres
ISBN 2-921416-11-5
1996
- Rapports entre les humains, sociétés, période
  actuelle d'évolution de la planète
- Sens de la souffrance, pardon
- Affirmation de soi
- Définir son bonheur et faire ses choix
- Lâcher prise et vivre ses changements
- Amour et sexualité
- Pensées, émotions et états d'être
- Réalité de nos vies, Âme comme valeur vraie

Entretiens avec Oasis, tome IV
Channelés par JRobert
732 pages, avec index détaillé et cumulatif des
  sujets et des noms propres
ISBN 2-921416-16-6
1998
- Univers, origine des humains et mondes exté-
  rieurs
- Famille, enfantement, éducation des enfants
- Originalité
- Rôle de la famille et du couple
- Union de l'Âme et de la forme, fusion, conti-
  nuité de la vie après la mort physique

Cartes Oasis
ISBN 2-921416-14-x

54 maximes originales permettant d'approfondir les enseignements d'Oasis et les divers cours de JRobert. Complément essentiel à la collection. À utiliser au quotidien pour vivre les nouvelles compréhensions et réussir sa vie.

La seconde naissance, une raison de vivre
ISBN 2-921416-31-x

Une méthode complète de consultation de soi-même en vue de la maîtrise du langage du corps, du dialogue avec l'Âme et des rapports avec le monde parallèle. Une découverte de la vraie nature de la créativité. Une invitation à renaître, à développer une passion pour soi-même. À lire pour comprendre que la mort, c'est la vie, et pour réussir notre continuité après la vie physique.

Déjà parus en livres de poche

1. Les rêves
2. Le lâcher prise
3. L'acceptation de soi
4. L'amour
5. Les Âmes
6. Les Entités
7. Le respect de soi
8. La sexualité
9. L'intuition
10. Les énergies
11. Le bonheur
12. La mission d'Oasis
13. La prière et la méditation
14. La maladie
15. Le pardon
16. La famille
17. Les émotions et les états d'être
18. Le contact avec l'Âme

À paraître

L'Ensemble
Notre monde
Le lien entre l'Âme et la forme
Les liens entre les Âmes et les Entités
Les influences
Le soin des formes
Les peurs
La foi
Le langage des Âmes
La médiumnité
Le couple
Les Cellules
La dimension des Cellules

L'amour de soi
Les religions
Les liens entre les faux espaces
Le cycle des incarnations
La naissance
Le vieillissement
L'automne de nos vies
La souffrance
Le conscient
Les choix
La vie
Le changement
Les formes
Les autres
Les pensées
Les faux espaces
La réalité
L'Univers
L'origine des formes
Les mondes extérieurs
L'union de l'Âme et de la forme
Le langage des formes
La guérison
La double naissance
La tendre enfance
L'éducation
La continuité
La mort
Les missions de vie
La fusion